美味系列

快手飯盒輕鬆做

梁瓊白編著

【序】

梁瓊白

　　做菜，對忙碌的現代人而言，或許算得上是奢侈的要求了，不會做和沒時間做都是問題，於是解決進餐的方式就因陋就簡者有之，尋求外食、速食者有之。一日三餐的吃成為很公式化的負擔，這實在不是做為一名烹飪教學者所樂見的，因此我一直想用最簡單易學的方式來傳遞做菜的方法，好達到想吃就動手做的目的、事實上，「學」做菜的定義未必非得酒席大宴上的菜才值得學習，反而日常生活中的家常菜才實用，這也是我設計這本食譜的動機，至少它為您解決了每天吃什麼和怎麼做的問題。

　　當《快手飯盒輕鬆做》的企畫提出時，立刻受到《聯合報》家庭版主編的同意而安排見報，更幸運的是得到讀者們很好的反應，肯定了這項企畫的實用性與需求性，其間也不時接到許多讀者的來信，有的要求代為補充漏剪的報紙，也有的詢問是否出書，因此考量之後，我決定將這三十套食譜結集出書，並

委由聯經出版公司印刷發行。

　　書的價值在於它對人的幫助，食譜也是一樣，如果它只是印刷精美，圖片華麗卻語焉不詳不能寫出重點的話，對讀者仍然是一知半解，純然只能當做案架上的陳列品而已。但我希望我的食譜不只是賞心悅目，更希望它的功能是對學習者有真正的助益，這也是我從出第一本書就秉持的自我要求，因此在我的每一本書裡用不同的表達方式來說明每一道菜的典故、作法和秘訣所在，減少讀者試驗過程中的摸索與浪費，讓它成為真正的參考書，即使不上課，也能從中找到答案，讓做菜不再是難事。

　　當然，最後的裁判是讀者，如果我的書能滿足您的需求，那麼讀者的口碑將是我最好的宣傳，如果它仍有所缺失，您的建議便是我要再努力的方向，我期待讀者的肯定，更希望因您的指正讓我的書更真、善、美。

【目 次】

快手飯盒輕鬆做

香煎肉排飯盒

菜　單：

1 香煎肉排

2 玉米蝦仁

3 素炒四季豆

4 鮮筍排骨湯

材　料：

(1)里肌肉一斤、大蒜三粒、番薯粉半碗、醬油三大匙、酒一大匙、糖半大匙。

(2)玉米粒罐頭一罐、蝦仁半斤、蔥兩支、蛋白半個、鹽半茶匙、胡椒粉少許、太白粉一茶匙。

(3)四季豆十兩、大蒜兩粒、鹽一茶匙、味精少許。

(4)鮮筍四支，小排骨一斤。

有效的快速烹調法

1. 同時燒兩鍋開水，一鍋用來燙排骨，另一鍋在排骨沖乾淨後直接熬湯。

2. 利用燙過排骨的熱水，加鹽燙四季豆，然後才倒掉。

3. 里肌肉切片，並加入調味料醃。

4. 醃好蝦仁後，順便將玉米粒開罐，倒出來備用。

5. 里肌肉沾番薯粉，再將筍塊放入排骨湯中。

6. 起油鍋煎肉排，全部做好後，利用油鍋炒蝦仁，盛出來之後才洗鍋。

7. 炒玉米粒及蝦仁，起鍋後，接著炒四季豆。

8. 將排骨湯調味盛出。

①香煎肉排

作　法：

1. 里肌肉切厚片，用刀背拍鬆，加入大蒜、酒、醬油、糖醃十分鐘。
2. 沾上番薯粉，用一碗油煎至酥黃盛出。

②玉米蝦仁

作　法：

1. 蝦仁洗淨擦乾，用蛋白、鹽、太白粉拌勻醃五分鐘，
   用五大匙油炒過，待變色即盛出。

2. 另用兩大匙油炒蔥粒，倒下罐頭玉米略炒，隨即加
   入蝦仁，並以少許鹽、味精調味炒勻盛出。

③素炒四季豆

作 法:

1. 四季豆摘除老筋、折兩段,洗淨後用開水加鹽半茶
   匙先燙五分鐘,然後撈出沖涼。

2. 另用兩大匙油炒蒜末,再放入四季豆,用鹽及味精
   調味後炒勻盛出。

④鮮筍排骨湯

作　法：

1. 小排骨先燙除血水，然後沖淨泡沫，放入開水中改
   小火燉煮二十分鐘。

2. 筍去殼切粗塊，放入排骨中同煮，十分鐘後調味即
   可。

燻魚飯盒

菜 單：

1 燻魚

2 佛手茄子

3 鮮菇燜筍

4 番茄玉米湯

材 料：

(1)草魚中段一斤四兩、葱兩支、薑兩片、酒一大匙、醬油五大匙、糖三大匙、番茄醬三大匙、五香粉一茶匙、鹽半茶匙、清水半杯。

(2)茄子三條、絞肉四兩、葱兩支、酒一大匙、鹽半茶匙、太白粉水半大匙、醬油兩大匙、糖半大匙、水半杯、太白粉水一茶匙。

(3)新鮮香菇半斤、筍三支、醬油三大匙、糖一大匙、鹽半茶匙、水一杯、太白粉水半大匙。

(4)雞骨一個、番茄兩個、玉米醬罐頭一罐、鹽一茶匙、太白粉四大匙。

1. 先熬高湯，並將需要煮熟的筍同時加入，熟了再撈出來。
2. 將魚切片，加調味料醃，再處理茄子並將肉鑲入。
3. 燒半鍋油，先炸魚片；再以同一鍋油炸茄子。兩者分別處理好後，油倒掉，先將魚調味，再將鍋洗淨燒茄子。
4. 切香菇及筍，並燒好，接著撈除雞骨，倒入玉米醬，燒開後調味，加入番茄並勾芡。

①燻魚

作　法：

1. 草魚段對半剖開，斜刀切成瓦塊片，用蔥薑及酒、醬油三大匙、少許五香粉醃二十分鐘。

2. 油四杯燒熱，放入魚片炸酥撈出；另用兩大匙油炒番茄醬、醬油兩大匙、鹽、糖、五香粉及清水，炒勻後放入魚片，燒至湯汁收乾盛出。

②佛手茄子

作　法：

1. 茄子斜刀切成活頁夾，再每條分成兩段。
2. 絞肉剁細，拌入酒、鹽、太白粉水拌勻，塞入茄夾中，放入油鍋炸熟撈出。
3. 將醬油、糖、水燒開，放入茄子燜入味，再以太白粉水勾芡盛出，撒下蔥花即成。

③鮮菇燜筍

作 法：

1.新鮮香菇洗淨對剖成兩塊，筍先整隻煮熟再切厚片。

2.用兩大匙油炒鮮菇及筍，並加入醬油、糖、鹽、水
燒入味，起鍋前以太白粉水勾芡即可。

④番茄玉米湯

作　法：

1. 先將雞骨熬出高湯，再倒入罐頭玉米醬燒開。

2. 番茄切丁，加入湯中同煮，並以鹽調味後，將太白粉用水調開，淋入勾茨，湯汁濃稠即盛出。

東安雞飯盒

菜　單：

1. 東安雞
2. 豆干肉絲
3. 辣炒小魚乾
4. 莧菜豆腐湯

材　料：

(1)雞腿兩隻、蔥五支、薑三片、辣椒三支。

(2)油豆腐片四兩、里肌肉半斤、芹菜三棵、大蒜兩粒。

(3)小魚乾四兩、辣椒五支、青蒜兩支、大蒜兩粒。

(4)莧菜一把、豆腐一盒。

有效的快速烹調法

1. 先燒兩鍋水，一鍋燙雞腿，一鍋在雞腿燙好後立刻放入煮熟，如此還可留下一鍋雞湯留著做湯用。
2. 切肉絲，並醃上調味料，接著準備這道菜的配料。
3. 小魚乾泡水，並切好配料，順便將雞腿撈出。
4. 切好莧菜及豆腐，並將太白粉水先調好。
5. 剁雞腿及準備配料，先炒蔥薑辣椒，接著完成這道菜。
6. 炒豆干肉絲、炒小魚乾、做湯。

①東安雞

作　法：

1. 雞腿洗淨，先燙除血水，再放入開水中，加一大匙酒、兩片薑同煮，十二分鐘後撈出，剁小塊。

2. 用三大匙油炒葱絲、薑絲及辣椒絲，再倒入雞塊，並加一大匙酒、三大匙醬油、半茶匙醋、一茶匙糖，及一杯水調勻燒開，湯汁收乾即盛出。

②豆干肉絲

作　法：

1. 里肌肉切絲，拌入一大匙酒、一大匙醬油、半大匙太白粉水醃十分鐘。

2. 油豆腐片切寬條，芹菜切小段，大蒜拍碎。

3. 用五大匙油先將肉絲炒散後盛出，以餘油炒蒜末，接著放入芹菜及油豆腐炒勻，最後倒入肉絲，並以兩大匙醬油、一茶匙糖、半杯水、少許胡椒粉調味，湯收乾即盛出。

③辣炒小魚乾

作　法：

1. 小魚乾洗淨，用溫水蓋過浸泡十分鐘。
2. 大蒜切碎，用三大匙油炒香，再放入辣椒及青蒜白，
   接著加入小魚乾，並以一大匙酒、兩大匙醬油及少
   許胡椒粉調味，最後加入青蒜葉炒勻盛出。

④莧菜豆腐湯

作 法：

1. 莧菜洗淨，摘除老葉，改刀切小段、豆腐切丁。
2. 用兩大匙油將莧菜炒軟，再倒入煮雞腿剩的高湯，
   煮開後加入豆腐、並以鹽兩茶匙調味。
3. 將四大匙太白粉以水調開後勾芡，拌勻即盛出。

無錫排骨飯盒

菜　單：

1. 無錫排骨
2. 薑絲小卷
3. 炒青菜花
4. 酸菜肚片湯

材　料：

(1)小排骨一斤、葱兩支、薑兩片、辣椒一支。
(2)小卷十兩、薑一小塊。
(3)青菜花兩棵、火腿三片。
(4)豬肚半個、酸菜心半個、薑兩片。

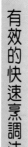

有效的快速烹調法

1. 醃排骨。並將豬肚洗淨，回過頭來再把排骨炸上色，接著按烹調步驟處理這道菜，直到移入快鍋中燒。

2. 切青菜花，並用鹽水泡，接著處理小卷。此時可將排骨熄火。

3. 炒薑絲小卷這道菜並完成它，接著將酸菜洗淨切好。

4. 將排骨取出，同時將鍋洗淨，接著煮豬肚，回過頭來將排骨用炒鍋收乾湯汁盛出，再炒青菜花。

5. 豬肚取出後，一面放酸菜入湯汁中燒，一面切豬肚並加入湯中，調味後再盛出。

① 無錫排骨

作 法：

1. 小排骨請肉商切五公分長段，洗淨後拌入酒一大匙，醬油三大匙醃十分鐘。

2. 用兩碗油燒至極熱時放入排骨炸上色，隨即撈出，將油倒出，留兩大匙油在鍋內。

3. 放入蔥薑辣椒炒香，再倒入排骨，並以酒一大匙、醬油兩大匙、番茄醬四大匙、糖兩大匙、鹽半茶匙、五香粉半茶匙調味，炒勻後加水蓋過排骨燒開。

4. 移入快鍋內，用中火燒十五分鐘即熄火。

5. 稍涼時開蓋取出，倒入炒鍋將湯汁炒乾，並揀除蔥薑辣椒即可盛出。

②薑絲小卷

作 法：

1. 將小卷切橫刀口，抽出墨囊洗淨，薑切絲。
2. 用三大匙油炒薑絲，再放入小卷同炒，淋酒一大匙、
   醬油兩大匙、糖一茶匙、胡椒粉少許調味，小火燒
   五分鐘。
3. 湯汁稍乾即盛出。

③炒青菜花

作　法：

1. 將菜花切成小朵洗淨，放入鹽水中浸泡，火腿切丁。

2. 泡過十分鐘的青菜花撈出瀝乾，用三大匙油炒，並以鹽一茶匙、味精少許調味。

3. 加入火腿屑同炒，並淋清水一杯燜，待湯汁稍乾盛出。

④酸菜肚片湯

作　法：

1. 豬肚洗淨，加入清水中，並放入薑兩片、酒一大匙，
   用快鍋煮二十分鐘。

2. 酸菜切片，待豬肚撈出後，放入湯中不加蓋煮五分
   鐘。

3. 豬肚片剖開兩半，一半打包冷凍待下次用，另一半
   切片加入湯中。

4. 用半茶匙鹽及少許味精，胡椒粉調味後即盛出。

豉汁排骨飯盒

菜　單：

1 豉汁排骨
2 香芹魷魚
3 燜南瓜
4 海帶雞湯

材　料：

(1)小排骨一斤、豆豉一小包、大
　蒜三粒、辣椒兩支、酒一大匙、
　醬油兩大匙、鹽四分之一茶匙、
　糖半大匙。
(2)芹菜半斤、鮮魷魚兩條、辣椒
　三支、酒一大匙、鹽一茶匙、
　胡椒粉少許、太白粉水半大匙。
(3)南瓜半個、鹽一茶匙、清水兩杯。
(4)海帶結半斤、雞腿兩支。酒一
　大匙、薑兩片、鹽兩茶匙。

1. 先剁雞塊，並川燙後煮湯，海帶結洗好。

2. 小排骨洗淨，拌入太白粉後，將豆豉、大蒜、辣椒切碎先炒，調味後盛出淋在排骨上，放入飯面同蒸。

3. 切南瓜，並放入鍋中先燒。

4. 處理魷魚並切花，芹菜、辣椒一併切好。

5. 將南瓜盛出，海帶結放入雞湯中燒。

6. 燒半鍋水，將魷魚川燙過（如此可避免炒魷魚時吐水）；撈出後，另外用油炒芹菜、辣椒，放入魷魚炒好調味盛出。

7. 將湯調味，熄火後，端出豉汁排骨。

①豉汁排骨

作 法：

1. 小排骨洗淨，拌入兩大匙太白粉。豆豉洗淨切碎，大蒜、辣椒切丁。

2. 用兩大匙油炒香豆豉、大蒜及辣椒後加入調味料調勻，淋在排骨上，放入電鍋與飯同蒸。

②香芹魷魚

作　法：

1. 魷魚洗淨切花，先用開水川燙過再撈出，芹菜切小
   段，辣椒斜切。
2. 用兩大匙油炒芹菜、辣椒後，放入魷魚，並調味，
   炒勻即盛出。

③燜南瓜

作　法：

南瓜去皮，切大塊，用兩大匙油炒過，再加入調味料
燒軟，入味即盛出。

④海帶雞湯

作　法：

1.雞腿剁小塊，先用開水川燙過撈出，沖淨泡沫。

2.將薑片放入開水中，與雞肉先燉十分鐘。

3.加入海帶結同燒，二十分鐘後調味即成。

黃魚飯盒

菜　單：

1 燒黃魚
2 芥蘭牛肉
3 豆腐煲
4 連鍋湯

材　料：

(1)黃魚兩條（或用白口魚，即俗稱「假黃魚」，價格可便宜些）、葱兩支、薑兩片、香菇兩片。

(2)嫩牛肉五兩（買一斤，分成三等分打包，每次用一分）、芥蘭菜半斤。

(3)嫩豆腐兩塊、蝦米兩大匙、香菇四片、紅蘿蔔半條。

(4)夾心肉一斤、白蘿蔔一條、青蒜一支。

1. 燙夾心肉，並放入開水中煮，然後處理黃魚，醃上鹽、酒。

2. 切牛肉並醃好，豆腐整塊用鹽水泡一會（幫助煎時不沾鍋，上色也快），同時泡香菇、蝦米。蘿蔔去皮切塊。芥蘭菜折好。

3. 煎黃魚，並燒好這道菜，接著炒牛肉。

4. 把蘿蔔放入湯中，再燒豆腐，然後把肉切好放入湯裡。

①燒黃魚

作　法：

1. 魚洗淨，在魚身兩面斜畫刀口，抹上一大匙酒、一大匙鹽，醃十分鐘。

2. 香菇泡軟切片，蔥切段。

3. 用五大匙油將黃魚兩面煎黃後盛出，用餘油炒蔥薑及香菇。

4. 加酒一大匙、醬油四大匙、糖一大匙、醋半大匙、清水一杯燒開後，再放入黃魚燒入味。

5. 湯汁稍乾時盛出即可。

②芥蘭牛肉

作　法：

1. 牛肉切絲，拌入酒一大匙、醬油一大匙、太白粉水
   一大匙，調勻醃十分鐘。
2. 芥蘭菜折小段，洗淨備用。
3. 用五大匙油炒牛肉，待變色時先撈出，再以餘油炒
   芥蘭菜，熟後，倒入牛肉絲同炒，並淋酒一大匙、
   醬油一大匙、鹽一茶匙、糖半茶匙調味，最後淋太
   白粉水一大匙勾芡，炒勻即盛出。

③豆腐煲

作　法：

1. 豆腐切片，用半杯油兩面煎黃盛出，再以餘油炒泡軟切片的香菇、紅蘿蔔及洗淨泡過的蝦米。

2. 加入酒一大匙、醬油兩大匙、鹽半茶匙、糖一茶匙、胡椒粉少許及清水一杯燒開。

3. 放入豆腐同燒，入味後移入煲內，小火燒熱保溫，食用時端出即可。沒有煲的直接用盤裝亦可。

④連鍋湯

作　法：

1. 夾心肉整塊川燙過，再整塊放入開水中用火煮熟，約二十分鐘。
2. 蘿蔔去皮切塊，放入湯中煮爛。
3. 豬肉撈出，改刀切厚片放回湯中，並以鹽半大匙、味精少許調味。
4. 起鍋時撒下青蒜絲即可上桌，另外準備一小碟蒜泥醬油，用以沾食肉片及蘿蔔。

雞腿飯盒

菜　單：

1 豉油雞腿

2 油爆蝦

3 酸菜肉絲

4 蓮藕排骨湯

材　料：

(1)小雞腿三隻、豉油雞汁一瓶（或醬油兩杯）、酒一大匙、糖兩大匙（用雞汁則不加）、清水兩杯。

(2)劍蝦（或蘆蝦、草蝦）一斤、葱兩支、薑兩片、大蒜三粒、酒一大匙、醬油兩大匙、糖半大匙、醋一茶匙。

(3)酸菜心半個、香菇五片、里肌肉半斤、鹽半茶匙、醬油一大匙、糖一茶匙。

(4)蓮藕兩小段、排骨一斤、鹽半大匙、味精少許。

有效的快速烹調法

1. 先燙排骨，撈出後與蓮藕一起用快鍋燉，並利用那鍋水燉雞腿，撈出後加豉油雞汁（雜貨店及超市有售）燒十五分。

2. 酸菜心切絲泡鹽水，再切肉絲並拌調味料醃，接著處理蝦。

3. 將酸菜心鹽水倒掉換清水，然後先炸蝦，並完成該道菜。

4. 炒肉絲及酸菜並完成它，將排骨熄火，接著剁雞。

5. 將排骨湯調味，然後燒開，熄火後盛出。

①豉油雞腿

作　法：

1. 將雞腿用開水川燙過，撈出、沖淨泡沫。
2. 將豉油雞汁倒入鍋中，加酒一大匙、清水兩杯燒開，再放入雞腿，改小火煮十五分鐘即熄火。
3. 待湯汁稍涼時，將雞腿取出、剁小塊排盤，並淋雞汁少許即可食用。

②油爆蝦

作　法：

1. 將蝦洗淨，挑除泥腸，並剪淨鬚足，拌入一大匙酒及少許鹽略醃。

2. 用一碗油燒熱，瀝乾蝦的水分，倒入油中炸熟撈出，油倒開，留兩大匙油。

3. 放入薑蒜末炒香，再倒下蝦炒勻，加入酒一大匙、醬油兩大匙、糖半大匙、醋一茶匙調味，最後拌入蔥花，湯汁收乾即盛出。

③酸菜肉絲

作　法：

1. 里肌肉切絲，先拌入少許酒、醬油及太白粉略醃；
   酸菜切絲後，用清水加一茶匙鹽浸泡十分鐘，再倒
   掉，改用清水浸十分鐘（此法為以毒攻毒，可去除
   鹹味）。

2. 香菇泡軟切絲。

3. 用五大匙油將肉絲炒散，盛出，再以餘油炒香菇絲
   及酸菜絲。

4. 倒入肉絲並加入鹽半茶匙、醬油一大匙、糖一茶匙
   調味，炒勻後盛出。

④蓮藕排骨湯

作　法：

1. 排骨先川燙過，以去除血水。
2. 蓮藕切粗塊，與排骨同時入快鍋燒二十分鐘熄火。
3. 稍涼時啟蓋，加入鹽及味精調味，再度燒開即可。

梅菜燒肉飯盒

材　料：

(1)夾心肉一斤、紹興梅干菜一包（這種梅干菜較嫩，也不會太鹹，雜貨店有售）、大蒜兩粒、八角兩粒。

(2)白帶魚一條（可切成十二片）。

(3)芥菜三棵（將梗與葉分開，梗做本菜，葉可留作它用，如切碎後用鹽醃軟，可用來炒肉末）、干貝兩粒。

(4)番茄兩個、小白菜三棵、貢丸半斤。

有效的快速烹調法

1. 先燒水燙夾心肉，同時準備另一鍋水也燒開，待豬肉川燙過立刻沖乾淨，放入另一鍋開水中煮十五分鐘。

2. 干貝略洗，用開水浸泡，同時洗梅干菜。

3. 將帶魚洗淨，切刀口，並加入鹽、酒醃。

4. 把干貝連同浸泡的水，再加一大匙酒放入飯面蒸熟。

5. 將夾心肉取出切小塊，並與梅干菜同炒，調味後移入另一只鍋用小火燒。待所有菜完成時，即可熄火端出食用。

6. 煎帶魚，完成後炒芥菜，並將干貝取出加入，最後燒湯。

①梅干菜燒肉

作　法：

1. 夾心肉整塊川燙過，去除血水後沖淨，再用清水整塊煮十五分鐘後撈出，切小塊。

2. 梅干菜用水洗淨，撈出擠乾水分。

3. 用三大匙油炒大蒜，再放入夾心肉，並以酒一大匙、醬油三大匙、糖一大匙、鹽半茶匙調味。

4. 加入梅干菜及八角炒勻後，加兩杯清水，燒三十分鐘即可。

②乾煎帶魚

作 法：

1. 白帶魚洗淨外皮白膜，在肉面上橫切刀口，拌入酒
   一大匙、鹽一大匙醃十分鐘。
2. 鍋燒熱，用五大匙油將帶魚放入，一片片煎至兩面
   金黃時盛出。

③干貝芥菜

作　法：

1. 半鍋水燒開，加一大匙鹽，再放入芥菜川燙，待芥菜色澤轉深綠時即撈出，沖水至涼。

2. 用三大匙油炒芥菜，並以鹽一茶匙、味精少許調味。

3. 干貝撕碎，加入干貝，連同干貝水一起燒，再以太白粉水一大匙勾芡盛出。

④時蔬貢丸湯

作　法：

1.番茄切片，貢丸切十字刀口，小白菜洗淨切小段。

2.利用前面煮夾心肉的肉湯，先放入貢丸煮五分鐘。

3.加入番茄片，並調入鹽兩茶匙調味。

4.加入白菜，再加少許味精調味後，熄火盛出。

咖哩雞飯盒

菜　單：

1 咖哩雞

2 肉絲四季豆

3 煎菜脯蛋

4 白菜丸子湯

材　料：

(1)雞腿兩隻、洋葱半個、馬鈴薯
　　兩個、紅蘿蔔一條。
(2)瘦肉半斤、四季豆半斤、辣椒
　　三支、蒜末一茶匙。
(3)蛋四個、碎蘿蔔乾五元。
(4)大白菜一小個、絞肉半斤、葱
　　兩支、蛋一個。

有效的快速烹調法

1. 先剁雞塊，並拌上醬油醃，接著切洋蔥、馬鈴薯及紅蘿蔔，全部切好，再燒熱油將雞塊炸上色。

2. 將炸油倒開後，留少許炒洋蔥料，將咖哩雞全部加足主配料入鍋，加洋蔥小火燒，再處理其他菜。

3. 切肉絲及四季豆，準備完成後，洗蘿蔔乾及打蛋。

4. 剁絞肉並調好味，再切白菜及蔥花。

5. 炒肉絲四季豆，完成後煎蛋，別忘了中途翻動一下咖哩雞。

6. 炒大白菜，並完成丸子湯後，盛出咖哩雞。

①咖哩雞

作　法：

1. 雞腿切小塊，拌入兩大匙醬油，用熱油炸上色撈出。
2. 洋蔥切小片，馬鈴薯、紅蘿蔔去皮切塊。
3. 用三大匙油炒香洋蔥後，加入三大匙咖哩粉略炒，
   隨即倒下雞塊，再淋酒一大匙、鹽半大匙、糖半茶
   匙、醬油一大匙炒勻，並加水三杯燒開。
4. 放入紅蘿蔔及馬鈴薯同燒，改小火煮十五分鐘，中
   途多翻動以免黏鍋，入味後，淋少許太白粉水勾芡，
   湯汁黏稠時即盛出。

②肉絲四季豆

作　法：

1. 瘦肉切絲，拌入酒一大匙、醬油一大匙、太白粉水半大匙略醃。

2. 四季豆切絲，辣椒切絲。

3. 用三大匙油炒散肉絲後，加入蒜末及四季豆同炒，並以酒一大匙、鹽兩茶匙、味精少許調味後，淋水半杯燜入味。

4. 加入辣椒絲炒勻，淋一大匙太白粉水勾芡後盛出即可。

③煎菜脯蛋

作　法：

1. 菜脯（即蘿蔔乾）洗淨擠乾水分，蛋打散。
2. 將菜脯加入蛋汁中，並淋太白粉水一大匙（增加蛋汁彈性），調勻後，將鍋燒熱，用少許油分成五次將蛋液淋入煎成圓餅狀盛出。（註：菜脯已有鹹味，不需再調味；喜甜者可加少許味精。）

④白菜丸子湯

作　法：

1. 絞肉再剁細些，並淋酒一大匙、鹽一茶匙、太白粉半大匙調味，加入蛋一個仔細攪勻。

2. 白菜洗淨切絲，蔥切小粒，用三大匙油將白菜炒軟後，加水五碗燒開後，先熄火，再一一擠入肉丸，全部丸子做成後再開火，小火煮至丸子浮起時，加鹽半大匙、胡椒粉、味精少許調味。

3. 熄火後撒下蔥花，滴少許麻油即可盛出食用。

回鍋肉飯盒

菜　單：

1 回鍋肉

2 乾燒蝦仁

3 炒甜不辣

4 酸菜魷魚湯

材　料：

(1)夾心肉半斤、豆干五片、木耳四片、紅蘿蔔半條、青蒜兩支。

(2)蝦仁十兩、葱兩支、酒釀一大匙、辣豆瓣一大匙、薑蒜末一大匙。

(3)長條形甜不辣半斤、芹菜（或韭菜花）四兩。

(4)魷魚一條、酸菜心半個、香菜兩棵。

1. 先川燙夾心肉，再用清水將肉煮熟，燙肉的水留著。

2. 醃蝦仁，並切好它的配料及準備綜合調味料。

3. 切回鍋肉之配料及甜不辣。魷魚及酸菜亦切片。

4. 將夾心肉撈出放涼，把酸菜放入肉湯中煮，再切肉片。

5. 利用燙肉的水燙魷魚，然後倒掉水，魷魚沖乾淨。

6. 炒回鍋肉，在加水燜的時候切甜不辣及芹菜，再回頭將回鍋肉盛出。順便放魷魚入湯中煮。

7. 炒蝦仁，完成後炒甜不辣，最後將湯調味後盛出。

①回鍋肉

作　法：

1. 夾心肉川燙過血水後，放入清水中加兩支葱、兩片
   薑及一大匙酒，中火煮二十分鐘。

2. 豆干及木耳切片，紅蘿蔔切片後，青蒜切斜段。

3. 夾心肉切片後用三大匙油與豆干同炒，淋酒一大匙，
   加辣豆瓣兩大匙炒香後，放入木耳及紅蘿蔔，加醬
   油一大匙、糖半茶匙、醋半茶匙調味炒勻。

4. 淋水半杯略燜，撒下青蒜，收乾湯汁後盛出即可。

②乾燒蝦仁

作 法：

1. 蝦仁洗淨拭乾水分，拌入蛋白半個、鹽半茶匙、太白粉一茶匙、胡椒粉少許，調勻後醃十分鐘。

2. 用三大匙油炒薑蒜末至香，倒下蝦仁快炒，變色時加入酒釀及辣豆瓣各一大匙、酒一大匙、番茄醬兩大匙、糖一茶匙、鹽四分之一茶匙炒勻，淋太白粉水半大匙勾芡，最後撒下蔥花後拌勻盛出。

③炒甜不辣

作　法：

1. 甜不辣切斜厚片，芹菜洗淨切小段。
2. 用兩大匙油先炒芹菜，再放入甜不辣同炒。
3. 加醬油半大匙、鹽半茶匙、味精少許，調味後炒勻
   盛出。

④酸菜魷魚湯

作 法：

1. 魷魚撕淨外膜，斜刀切片後用開水川燙過撈出。
2. 酸菜洗淨切片，利用煮肉剩餘的高湯先煮酸菜，十分鐘後加入川燙過之魷魚。
3. 再煮五分鐘即加鹽半茶匙、味精少許調味，熄火後撒下香菜末即可盛出。

鱈魚飯盒

菜　單：

1. 軟煎鱈魚
2. 滑溜里肌
3. 素炒菠菜
4. 香菇雞湯

材　料：

(1) 鱈魚三片、蛋一個、麵粉半杯。
(2) 里肌肉半斤、小黃瓜三條、木耳四兩、蒜末半大匙。
(3) 菠菜一斤、大蒜三粒。
(4) 雞腿兩隻、香菇八片、薑兩片。

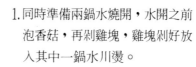

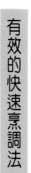

有效的快速烹調法

1. 同時準備兩鍋水燒開，水開之前泡香菇，再剁雞塊，雞塊剁好放入其中一鍋水川燙。

2. 醃鱈魚，接著切里肌肉，並加調味料醃。

3. 將雞塊撈出，水倒掉，雞塊沖淨放入另一鍋開水中煮。

4. 洗菠菜，切蒜末，接著切小黃瓜及木耳，菠菜亦切好。

5. 加香菇入湯，改小火慢慢煮，再煎鱈魚，並調味燒好。

6. 炒滑溜里肌，盛出後炒菠菜。

7. 將香菇雞調味，熄火後盛出。

①軟煎鱈魚

作　法：

1. 鱈魚洗淨後拭乾水分，淋一大匙酒、半大匙鹽，兩面沾勻醃十分鐘。

2. 準備鍋燒熱，放兩大匙油潤遍鍋底，改小火備用，蛋打散，麵粉放盤內，將醃好的鱈魚先沾一層乾麵粉後，沾一層蛋汁，放入鍋內兩面煎黃。

3. 淋酒一大匙、醬油兩大匙、糖一茶匙、胡椒粉少許、清水四大匙，將魚片搖動，以小火燒入味，翻面後收乾湯汁即可盛出。

②滑溜里肌

作　法：

1. 里肌肉切片，拌入酒一大匙、醬油一大匙、太白粉水一大匙醃十分鐘。

2. 小黃瓜、木耳分別切片。

3. 用三大匙油先炒香蒜末，再倒入肉片炒散，待肉片變色時，加入小黃瓜及木耳同炒，並以酒一大匙、鹽一茶匙、胡椒粉少許調味後，淋太白粉水一大匙勾芡，炒勻後盛出。

③素炒菠菜

作　法：

1. 菠菜洗淨切小段，大蒜拍碎切細。
2. 用三大匙油炒蒜末，再放入菠菜同炒。
3. 加兩茶匙鹽，少許味精調味後盛出。
4. 菠菜在飯盒中蒸後會黃，最好另用小塑膠袋裝，待
   飯盒蒸熱後，再倒入飯面，以熱氣哈暖即可。

④香菇雞湯

作　法：

1. 雞腿洗淨剁小塊，先川燙除血水，再沖淨，香菇泡軟切小塊。

2. 另外燒一鍋開水，放入雞塊，並淋酒一大匙後，放入薑片，改中火燒十分鐘，再加入香菇。

3. 二十分鐘後，加鹽兩茶匙調味即可盛出。

高升排骨飯盒

菜 單：

1 高升排骨

2 炒木樨肉

3 椒油茄子

4 沙茶血片湯

材 料：

(1)小排骨一斤、葱兩支、蒜兩粒。

(2)瘦肉六兩、菠菜兩棵、木耳四
　　片、蛋四個。

(3)茄子四條、花椒粒一大匙。

(4)酸菜兩片、豬血一條、韭菜五
　　元、雞骨頭一個。

有效的快速烹調法

1. 準備兩鍋水，一鍋燒開，一鍋同時放入小排骨與雞骨頭川燙血水，在煮開前切豬血片，撈出小排骨及雞骨頭後利用那鍋水燙豬血，再分開一一沖乾淨泡沫。

2. 雞骨頭放入另一鍋開水中煮高湯，小排骨完味燒高升排骨。

3. 切木樨肉之肉絲及配料，準備好後切茄子。

4. 將高湯端開，先做椒油茄子，完成後炒木樨肉。

5. 完成沙茶血片湯，再盛出高升排骨。

①高升排骨

作　法：

1. 小排骨洗淨，燙除血水後沖淨。
2. 用兩大匙油，爆香蔥蒜後撈除，倒下排骨，加酒一大匙、醋兩大匙、糖三大匙、醬油四大匙調味。
3. 加水蓋過排骨後大火燒開，改小火燒至湯汁收乾即可。

②炒木樨肉

作　法：

1. 瘦肉切絲，拌入酒一大匙、醬油一大匙、太白粉水半大匙略醃。

2. 菠菜洗淨切小段，木耳切絲，蛋打散，加半茶匙鹽、半大匙太白粉水攪勻，用三大匙油炒成蛋花後盛出。

3. 另用三大匙油炒肉絲，變色後加入木耳及蛋花同炒，淋酒一大匙、醬油三大匙、鹽半茶匙、味精、胡椒粉少許調味，放入菠菜炒熟後盛出。

③椒油茄子

作　法：

1. 茄子洗淨，切斜片連刀不斷之刀口後，換另一面亦切相同刀口，切好放入鹽水中浸泡以免茄肉變色。

2. 油四杯燒熱，放入茄子炸軟撈出。

3. 油倒開，留一大匙油炒花椒粒，待香味透出時撈除，餘油留鍋內，加醬油三大匙、糖一大匙、清水三大匙炒勻，放下茄子燒至湯汁收乾時盛出即可。

④沙茶血片湯

作　法：

1. 先將雞骨頭川燙除血水後另用清水熬煮出高湯再撈棄。

2. 豬血切片，用開水川燙過再用，酸菜切小粒，韭菜切小段。

3. 用兩大匙油炒酸菜，再倒入高湯煮開，放入豬血，小火煮五分鐘。

4. 大湯碗內先放入沙茶醬三大匙，再將豬血用半大匙鹽及少許味精調味後，撒下韭菜煮開，然後盛入湯碗內，用湯杓將沙茶攪勻即可食用。

鮑菇牛肉飯盒

菜　單：

1 鮑菇牛肉片
2 雪菜肉末
3 紹子烘蛋
4 玉米排骨湯

材　料：

(1)鮑魚菇四片、嫩牛肉六兩、葱兩支、紅蘿蔔半條。
(2)雪裡紅五兩（或切碎之雪菜一包）、絞肉半斤、辣椒兩支、蒜末一大匙。
(3)蛋六個、絞肉四兩、木耳三片、筍一支、葱兩支。
(4)排骨一斤、玉米兩支。

有效的快速烹調法

1. 準備兩鍋水，一鍋先燙排骨，一鍋燒開，排骨放入後，切牛肉，並加調味料醃。

2. 切鮑魚菇及紅蘿蔔並調好這道菜的綜合調味料。

3. 撈出川燙的排骨，沖淨後放入開水中改小火燒，順便將玉米切好，用鹽水略泡以消除殘餘灰塵，再切木耳及筍。

4. 完成鮑菇牛肉，接著炒雪菜肉末。將玉米放入排骨中後，做紹子烘蛋，再將排骨調味後即可盛出。

①鮑菇牛肉片

作　法：

1. 牛肉切片，用酒一大匙、醬油一大匙、太白粉水一大匙拌勻醃十分鐘。

2. 鮑魚菇切片，紅蘿蔔切片，蔥切斜段。

3. 用四大匙油炒散牛肉，變色時先盛出，再放入紅蘿蔔及鮑魚菇，蔥白可先放，炒軟時加入牛肉同炒，並以酒一大匙、醬油（或蠔油）兩大匙、糖半大匙、胡椒粉少許調味。

4. 加入蔥段，並以太白粉水一大匙勾芡後炒勻盛出。

②雪菜肉末

作 法：

1. 雪裡紅洗淨切碎（或以整袋之碎雪菜洗淨即可），辣椒切丁。

2. 用三大匙油炒蒜末及絞肉，待肉末變白時放入雪菜同炒。

3. 加鹽一茶匙、味精少許調味，再加入辣椒丁，最後淋太白粉水一大匙，勾芡即可。

③紹子烘蛋

作　法：

1. 蛋打散，加太白粉水一大匙及鹽半茶匙調勻。
2. 木耳及筍切丁，蔥切小粒。
3. 用半碗油燒熱後，淋下蛋汁，兩面煎黃時盛出，切小塊排入盤內。
4. 將餘油炒散絞肉，再放入木耳丁及筍丁炒熟，以兩大匙醬油、一大匙油、半茶匙醋、一茶匙糖調味，再加半大匙太白粉水勾芡後，撒下蔥花拌勻，盛出淋在烘蛋上即成。

④玉米排骨湯

作　法：

1. 排骨先川燙除血水，沖淨後放入開水中小火煮二十分鐘。

2. 加入切成小段之玉米再煮十分鐘。

3. 加鹽半大匙調味後即可盛出。

烤雞腿飯盒

菜　單：

1 烤雞腿

2 家常牛肉

3 滷海帶

4 芙蓉玉米羹

材　料：

(1) 雞腿三隻、蔥兩支、蒜三粒、酒一大匙、醬油三大匙、蜜汁烤肉醬五大匙。

(2) 嫩牛肉六兩、芹菜半斤、紅辣椒三支、酒一大匙、醬油一大匙、鹽半茶匙、糖少許、太白粉水半大匙。

(3) 海帶結半斤、醬油三大匙、糖一大匙、醋半大匙。

(4) 蛋一個、玉米醬一罐、高湯六碗（以雞骨熬成）。

有效的快速烹調法

1. 醃雞腿，另外準備兩鍋水，一鍋川燙雞架子、另一鍋燒開後，放入川燙過的雞架熬煮高湯（不用高湯亦可）。

2. 切牛肉，並加調味料醃，順手將烤箱預熱，接著切芹菜及辣椒。

3. 將雞腿放入烤箱烤，然後做滷海帶。

4. 炒家常牛肉，完成後，將雞腿翻面，並刷上蜜汁醬。

5. 將雞骨撈除，利用高湯做芙蓉玉米羹，記得將雞腿再翻面並刷醬。

6. 將海帶熄火盛出，並將雞腿取出，稍涼時剁塊排盤即成。

1 烤雞腿

作　法：

1. 雞腿洗淨，用叉子在肉面上扎洞。另將蔥蒜拍碎後，加酒、醬油及蜜汁烤肉醬調勻，放入醃十分鐘。

2. 烤箱以兩百度火力預熱三分鐘，再放入雞腿烘烤二十分鐘，中途以毛刷將剩餘湯汁塗抹雞腿多次。

3. 取出後剁小塊，即可排盤食用。

②家常牛肉

作　法：

1. 嫩牛肉逆絲切片，拌入酒一大匙、醬油一大匙、糖半茶匙、太白粉水一大匙後調勻，醃十分鐘。

2. 芹菜切小段，紅辣椒片開去籽斜切。

3. 用五大匙油將牛肉炒散後先盛出，再放入芹菜及紅辣椒炒，並以鹽調味。

4. 倒入牛肉，並加入酒一大匙、醬油一大匙、糖少許、太白粉水半大匙調勻的綜合調味料，炒勻即可盛出。

③滷海帶

作　法：

1. 海帶結洗淨，放入鍋中，加醬油及糖、醋調味後，
   加水蓋過海帶。
2. 先大火燒開，再改中火慢慢燒至湯汁收乾。

④芙蓉玉米羹

作　法：

1. 高湯燒開，放入玉米醬煮滾，加一茶匙鹽調味。
2. 太白粉四大匙用半杯水調稀後，倒入玉米湯中勾芡。
3. 蛋打散，慢慢淋入玉米湯中，再燒開即可。

鮮茄肉丸飯盒

菜　單：

1️⃣ 鮮茄燴肉丸

2️⃣ 紅燒划水

3️⃣ 玉米蒸蛋

4️⃣ 鮮蚵豆腐羹

材　料：

⑴絞肉一斤、番茄兩個、葱兩支、
　蛋一個。

⑵草魚尾一條、青蒜一支。

⑶蛋六個、玉米粒罐頭一罐。

⑷蚵半斤、嫩豆腐一盒、香菜兩
　棵、高湯六碗。

1. 先蒸蛋，接著醃魚。
2. 剁絞肉，並炸成肉丸後，完成鮮茄燴肉丸這道菜。
3. 將蒸蛋取出，然後煎魚並完成紅燒划水這道菜，魚在燒的時候切蒜絲，順便將蚵洗淨、豆腐切好。
4. 划水盛出後，做鮮蚵豆腐羹。

①鮮茄燴肉丸

作　法：　1.絞肉再剁細，拌入蛋一個、酒一大匙、鹽半茶匙、胡椒粉少許、太白粉水一大匙，順方向攪拌至有彈性。

2.番茄切片、蔥切小段備用。

3.油四杯燒至七分熱，將絞肉擠成肉丸放入油中，以中火炸至浮起時撈出。

4.另用兩大匙油炒香蔥段，再放入番茄，以酒一大匙、醬油兩大匙、番茄醬四大匙、糖一大匙、鹽半茶匙、清水半杯調味，燒開後倒下肉丸略燜。

5.湯汁稍乾時，加入太白粉水一大匙勾茨後，拌勻盛出即可。

②紅燒划水

作 法：

1. 草魚尾洗淨，切成長條（可請魚販代切），淋酒一大匙、醬油兩大匙、胡椒粉少許，醃十分鐘。

2. 鍋燒熱，用四大匙油將魚尾兩面略煎，再加入酒一大匙、醬油三大匙、糖一大匙、醋半大匙、鹽四分之一茶匙、胡椒粉少許調味，並加水一杯燒開後改小火燜十分鐘。

3. 湯汁稍乾時，加入太白粉水一大匙勾芡，並將青蒜切絲後撒在面上，即可盛出。

③玉米蒸蛋

作　法：

1. 將六個蛋打散，並加鹽一茶匙調味後，加入清水（或
   冷高湯）三杯拌勻。

2. 玉米粒罐頭打開，中間的湯汁倒除，先倒一半在蛋
   汁中同蒸，以中火蒸十分鐘後，再將剩下的半罐玉
   米粒舖在面上，再蒸十分鐘即可。

④鮮蚵豆腐羹

作　法：

1. 蚵洗淨，用開水快速川燙過撈出，另將高湯燒開。

2. 放入切丁的豆腐略煮，再加入鮮蚵後，以鹽兩茶匙
   調味，以太白粉水四大匙勾芡成羹後熄火，撒下香
   菜末，並滴麻油少許即可。

燒焗鯧魚飯盒

菜　單：
1 燒焗鯧魚
2 榨菜肉絲
3 培根花菜
4 銀芽排骨湯

材　料：

(1)白鯧魚一條（約一斤半重）、香菜兩棵、酒一大匙、醬油兩大匙、牛排醬四大匙、辣醬油兩大匙、糖三大匙、番茄醬兩大匙、清水半杯。

(2)瘦肉（里肌肉或梅肉）半斤、榨菜半個、葱兩支、醬油一大匙、太白粉水一大匙、酒一大匙。

(3)培根肉（超市有售）四片，白菜花一個。

(4)黃豆芽半斤，排骨一斤。

有效的快速烹調法

1. 先洗鯧魚，切片醃後，燒水燙排骨，另外準備一鍋開水，等排骨燙好沖淨時放入燉煮。

2. 切肉絲，加調味料醃，然後切榨菜並泡水（如果買已經切好的榨菜絲或淡榨菜則洗淨即可）。

3. 切白花菜，先以清水洗，再放入鹽水中泡。

4. 炸鯧魚，並加調味料燒好這道菜。未燒好前的空檔切培根。

5. 炒榨菜肉絲，完成後，炒培根花菜。

6. 放入黃豆芽在排骨湯中並調味，待所有菜上桌後，將湯熄火端出即可。

①燒焗鯧魚

作　法：

1. 鯧魚洗淨，斜刀切厚片，淋酒一大匙、醬油兩大匙醃十分鐘。

2. 油四碗燒開，放入鯧魚片炸上色，並外皮酥黃時撈出。

3. 炸油倒開，留一大匙油，將其餘調味料放入炒勻，再放入鯧魚小火燒入味，湯汁收乾即盛出，按先後順序排成原魚形，綴上香菜少許即可。

②榨菜肉絲

作　法：

1. 瘦肉切絲，拌入酒一大匙、醬油一大匙及太白粉水一大匙，醃十分鐘。

2. 榨菜切絲，用清水浸泡十分鐘以去除鹹味。

3. 用五大匙油將肉絲炒散，放入榨菜絲同炒，起鍋前撒下葱花，略拌即盛出。

③培根花菜

作　法：

1. 白菜花洗淨切小朵，用鹽水浸泡十分鐘。
2. 培根切絲，用三大匙油炒透，再放入花菜，加水一杯，並以鹽一茶匙調味後燒至湯汁收乾時即可盛出。

④銀芽排骨湯

作　法：

1. 排骨先燙掉血水後沖淨，另以清水燉煮二十分鐘。
2. 黃豆芽摘除尾根，洗淨後放入排骨中同燒，十分鐘後加鹽兩茶匙調味。
3. 待排骨酥軟時熄火盛出即可。

百葉燒肉飯盒

菜 單：

1 百葉燒肉
2 家常肝片
3 洋蔥炒蛋
4 菜心雞塊湯

材 料：

(1)夾心肉一斤、百葉結半斤、大蒜三粒、八角三顆、酒一大匙、醬油半杯、糖一大匙。

(2)豬肝六兩、小黃瓜兩條、蒜末一大匙、酒一大匙、沙茶醬兩大匙、醬油一大匙、糖半茶匙。

(3)洋蔥一個、蛋五個、紅蘿蔔三分之一條。

(4)芥菜心兩條、雞腿兩隻、酒一大匙、鹽兩茶匙。

有效的快速烹調法

1. 洗肉、切肉，先做百葉燒肉這道菜，肉開始燒時，另外準備水燙雞塊。雞腿洗淨並剁好。

2. 水開後放入雞腿川燙，倒出後，另外燒水煮雞塊湯。

3. 切豬肝並拌入太白粉，接著切小黃瓜，此時水已開，放入雞塊煮，順便將百葉燒肉攪拌一下以免黏鍋。

4. 將菜心硬皮削除並切好，接著切洋蔥。

5. 完成家常肝片這道菜，並將百葉燒肉熄火，菜心放入雞湯中燒，接著做洋蔥炒蛋，完成後將湯調味並盛出。

①百葉燒肉

作　法：

1. 夾心肉切塊，先用兩大匙油燒熱後，放入肉塊煸炒，待肉色發白時盛出，如此可清除血水。

2. 另用兩大匙油炒大蒜，接著放入百葉，略炒後倒下豬肉，並加酒、醬油、糖調味，淋水三杯加八角，大火燒開改中火燜二十分鐘。

3. 待肉塊及百葉均酥軟，並湯汁稍乾時即熄火盛出。

②家常肝片

作　法：

1. 豬肝洗淨切薄片，拌入太白粉少許略醃。
2. 小黃瓜切片，用兩大匙油先炒蒜末，待有香味時放入豬肝快速炒散。
3. 加入小黃瓜片，並放入所有調味料，炒勻即盛出。

③洋蔥炒蛋

作　法：

1. 洋蔥切絲，蛋打散。

2. 先用三大匙油燒熱後，淋入蛋汁並加少許鹽調味後，
   快速炒至蛋汁凝固時盛出。

3. 紅蘿蔔三分之一條刨絲，與洋蔥絲同時入鍋用兩大
   匙油炒軟，再放入蛋花，並以鹽半茶匙、味精、胡
   椒粉各少許調味後炒勻盛出即可。

④菜心雞塊湯

作　法：

1. 芥菜心削除硬皮，切滾刀塊，雞腿剁小塊，先用開水川燙過，撈出後沖淨泡沫再以清水煮十五分鐘。

2. 淋酒一大匙，加薑兩片以去腥。

3. 加入菜心同煮，十分鐘後，加鹽兩茶匙調味，熄火後撒胡椒粉、麻油少許即成，食用時可加少許香菜（不加亦可）。

銀蘿牛腩飯盒

菜 單：

1. 銀蘿牛腩
2. 乾煎肉魚
3. 炒洋菇片
4. 番茄豆腐湯

材 料：

(1) 牛腩一斤、白蘿蔔一條、八角三粒、酒一大匙、醬油四大匙、鹽半茶匙、糖一大匙、胡椒粉少許。

(2) 肉鯽仔(魚名)三條、酒一大匙、鹽一大匙。

(3) 碗豆夾二兩、洋菇半斤、青蒜一支。

(4) 雞骨一個、番茄兩個、豆腐一塊、蛋兩個。

1. 燒兩鍋水，水開之前切牛腩，再將牛腩放入其中一鍋川燙，一煮開即撈出沖淨泡沫備用，接著以那鍋水燙雞骨。

2. 另一鍋水燒開時，將雞骨沖淨放入熬高湯。順便醃魚。

3. 處理燒銀蘿牛腩這道菜的前面手續，直到放入快鍋後，切蘿蔔，再切番茄、豆腐。然後，將乾煎肉魚這道菜完成。

4. 將雞骨撈出，熬好的高湯移開，另外燒水燙洋菇，水開之前切青蒜，水開後放洋菇，並加點鹽川燙後撈出。

5. 將豌豆夾撕掉老筋洗淨，洋菇切片，此時將牛腩熄火。

6. 炒洋菇片，盛出後將蘿蔔加入牛腩中燒，然後做番茄豆腐湯，完成後，牛腩亦已燒好，熄火後將所有菜上桌，再掀蓋盛出牛腩。

①銀蘿牛腩

作　法：

1. 牛腩切小塊，燙除血水後撈出沖淨。

2. 用兩大匙油炒薑片兩片、大蒜兩粒，再倒入牛腩，加酒、醬油、鹽、糖、八角調味，並加清水五杯燒開。

3. 將牛腩倒入快鍋中煮十五分鐘，熄火後等熱氣稍退時掀蓋，加入蘿蔔塊再燒十分鐘，待牛腩與蘿蔔均爛時盛出即可。

②乾煎肉魚

作　法：

1. 將肉鯽仔洗淨，水分擦乾，淋酒一大匙、鹽一大匙醃十分鐘。

2. 鍋燒熱，加兩大匙油，再放入肉鯽仔，兩面煎至酥黃時盛出即可。食用時，加少許胡椒粉調味。

③炒洋菇片

作　法：

1. 洋菇洗淨，先用鹽水川燙過（去除黏液，吃起來較清爽），撈出後沖涼切片。
2. 豌豆夾撕除老筋，青蒜斜切。
3. 用兩大匙油炒蒜白及豌豆夾，變色時加入洋菇片，隨即以鹽一茶匙，以及味精、胡椒粉少許調味。
4. 加入青蒜葉，炒勻即盛出。

④番茄豆腐湯

作　法：

1. 先川燙雞架以去除血水，再另加清水熬成高湯（約二十分鐘）。

2. 番茄、豆腐切片後放入高湯中，並以鹽兩茶匙調味。

3. 蛋打散，加入太白粉水一大匙（增加蛋液凝固力），攪勻後淋入燒開的湯汁中，待蛋花浮起即熄火，撒下蔥花、滴麻油少許即可盛出。

番茄魚片飯盒

菜　單：

1 番茄魚片
2 金珠翠玉
3 燙韭菜
4 川肉片湯

材　料：

(1)番茄兩個、鮸魚一片、蔥兩支。
(2)玉米粒一罐、青豆仁一小碗、蝦仁四兩。
(3)韭菜半斤、絞肉四兩、紅蔥酥一包。
(4)瘦肉六兩、小黃瓜兩條、榨菜一小塊。

有效的快速烹調法

1. 先燒開水煮高湯，水開之前切魚片，醃好後處理蝦仁（抽泥腸、洗淨），並醃好蛋白、太白粉等。再切肉片並醃好。

2. 水開後，倒出一半，放雞骨煮高湯，另一半用來燙青豆仁及韭菜，撈出後分別沖涼備用，韭菜切段排入盤內。

3. 油三碗燒熱，先過魚片再過蝦仁，油倒開後先炒番茄魚片，完成後炒金珠翠玉。

4. 完成燙韭菜面上之肉末，最後做肉片湯。

①番茄魚片

作　法：

1. 鮸魚剔除魚皮、魚骨，切片，拌入蛋白一個、太白粉一大匙、鹽半茶匙、胡椒粉少許，調勻略醃。

2. 番茄切片，蔥切小段。

3. 用兩碗油燒至七分熱，放入魚片過油，待魚肉轉白時撈出，餘油倒掉。

4. 另用兩大匙油炒蔥段及番茄，並加入番茄醬三大匙、鹽一茶匙、糖半大匙調味，加水半杯燒開，倒下魚片同燒，再以一大匙太白粉水勾芡後盛出。

②金珠翠玉

作　法：

1. 蝦仁洗淨，瀝乾水分，拌入蛋白半個，鹽半茶匙、太白粉半大匙、胡椒粉少許醃十分鐘。

2. 水燒開，先將青豆仁燙熟撈出沖冷（若用冷凍青豆仁或罐頭青豆仁，則免沖冷）。

3. 用一碗油將蝦仁過油，變白時撈出，另用兩大匙油炒玉米粒與青豆仁，倒下蝦仁同炒，淋酒一大匙、鹽一茶匙、味精、胡椒粉少許調味，再淋太白粉水一大匙勾芡盛出。

③燙韭菜

作 法：

1. 韭菜洗淨，整長條放入開水中燙熟撈出，用水沖涼
   再切小段排入盤內。

2. 用三大匙油炒散絞肉，變色時加入紅葱酥，淋酒一
   大匙、醬油三大匙、味精少許調味，再以太白粉水
   一大匙勾芡後盛出，淋在燙好的韭菜上。

④川肉片湯

作　法：

1. 瘦肉切薄片、拌入酒一大匙、鹽半茶匙及太白粉半大匙略醃。

2. 小黃瓜與榨菜分別切片，高湯燒開後先放榨菜，再將肉片一一投入，煮至浮起時加鹽調味。

3. 放入小黃瓜片，再度滾開時熄火盛出，撒少許胡椒粉及麻油即可。

腐乳排骨飯盒

菜　單：

1 腐乳排骨
2 韭花魷魚
3 炒Ａ菜
4 冬菜肉丸湯

材　料：

(1)小排骨一斤、紅腐乳兩塊、腐乳
　汁兩大匙、酒一大匙、糖四大匙、
　清水三杯。
(2)韭菜花四兩、鮮魷魚三條、酒一
　大匙、鹽一茶匙、味精少許、太
　白粉水半大匙。
(3)Ａ菜半斤、大蒜兩粒、鹽半茶匙、
　味精少許。
(4)絞肉半斤、蛋一個、粉絲一把、
　冬菜二兩、高湯六碗、鹽半茶匙、
　麻油與胡椒粉各少許。

1. 先洗排骨並拌入醬油，在醃的時候把油燒熱，然後炸排骨，使它上色。
2. 先將腐乳排骨放入鍋燒，再燒一鍋開水熬高湯。
3. 剁絞肉，並加入調味料調勻，然後洗切魷魚並燙好撈出。
4. 切韭菜花，並將A菜洗淨切好。
5. 炒韭花魷魚，完成後做冬菜肉丸湯。
6. 炒A菜，最後盛出排骨。

①腐乳排骨

作 法：

1. 將小排骨洗淨，瀝乾水分，拌入兩大匙醬油略醃。

2. 半鍋油燒開，放入小排骨炸上色後撈出，再將油倒除。

3. 另用兩大匙油炒香一大匙蒜粒，再加入碾碎的紅腐乳及腐乳汁、糖、清水等燒開。

4. 放入小排骨，先大火燒開再改小火燒四十分鐘，至湯汁稍乾呈黏稠時盛出即可。

②韭花魷魚

作　法：
1. 將魷魚洗淨、剖開，在內側肉面切交叉斜刀口，再改切小塊。韭菜花折掉老梗，洗淨切小段。
2. 半鍋水燒開，放入魷魚花川燙，待卷即盛出。
3. 用兩大匙油炒韭菜花，變色時加入魷魚同炒，並淋酒一大匙，及加鹽一茶匙、味精少許調味，炒勻時，以太白粉水半大匙勾芡後盛出。

③炒Ａ菜

作　法：

1. Ａ菜（即萵苣菜，又叫椰仔菜），去根洗淨，切小
段。

2. 用兩大匙油炒香蒜粒，再放入Ａ菜同炒，接著加入
鹽及味精調味，炒勻即盛出。

④冬菜肉丸湯

作　法：

1. 先將絞肉剁細，然後拌入蛋一個、酒一大匙、鹽四分之一茶匙及太白粉半大匙，同一方向攪拌（增加彈性）。

2. 粉絲泡軟後切兩段，冬菜洗淨備用。

3. 高湯燒開，擠入肉丸，再加粉絲與冬菜，煮至丸子浮起時，加鹽半茶匙、味精與胡椒粉各少許，調味後盛出即可。

沙茶牛肉飯盒

菜單：

1. 沙茶牛肉
2. 蔭豉蚵
3. 番茄炒蛋
4. 金菇魷魚湯

材料：

(1)嫩牛肉六兩、嫩芥蘭或高麗菜苗半斤、蒜末一茶匙。

(2)鮮蚵半斤、豆豉一包、青蒜一支、蒜末一茶匙。

(3)番茄兩個、蛋四個、葱兩支。

(4)水發魷魚一條、金針菇四兩、青蒜一支。

1. 燒開水煮高湯，一邊切牛肉絲並加調味料醃好，水開後一半放入雞骨煮高湯，另一半用來川燙蚵。

2. 洗芥蘭菜並折好，接著切番茄、青蒜及魷魚，另外再燒半鍋水燙魷魚和金針菇，將另一鍋高湯中的雞骨撈除。

3. 將蛋打好，此時水已開，燙好金針菇與魷魚，放入高湯中煮。

4. 炒沙茶牛肉、蔭豉蚵，然後完成番茄炒蛋，最後將湯勾芡盛出。

①沙茶牛肉

作　法：

1. 嫩牛肉切絲，拌入酒一大匙、醬油一大匙、太白粉水一大匙、糖半茶匙，醃十五分鐘。

2. 芥蘭菜或高麗菜苗洗淨備用。

3. 用五大匙油先炒香蒜末，再放入牛肉炒散，待變色時倒入沙茶醬三大匙、醬油一大匙、糖一茶匙調味後先盛出。

4. 另用兩大匙油炒芥蘭菜或高麗菜苗，並以一茶匙鹽調味，倒入牛肉拌炒至勻，淋太白粉水一大匙，炒勻即盛出。

②蔭豉蚵

作　法：

1. 蚵洗淨，用開水川燙過撈出，水倒開。

2. 用兩大匙油炒泡洗過的豆豉及蒜末，青蒜切小粒、蒜白部分放入同炒，再倒入蚵，並以酒一大匙、醬油兩大匙、糖一茶匙、胡椒粉少許調味。

3. 加入青蒜葉，略炒勻、淋太白粉水一大匙勾芡後盛出。

③番茄炒蛋

作　法：

1. 番茄洗淨切小塊、蛋打散，先用三大匙油炒蛋，並加鹽四分之一茶匙調味後盛出。

2. 另用兩大匙油炒番茄，加入蔥段同炒，再將蛋倒入，以一茶匙鹽、少許味精調味，淋太白粉水一茶匙勾芡，炒勻即盛出。

④金菇魷魚湯

作　法：

1. 水發魷魚撕淨外膜，對切兩半再橫切成絲。
2. 水半鍋燒開，先川燙魷魚絲，再加鹽一茶匙川燙金
   針菇後撈出。
3. 高湯六碗燒開，先放入金針菇，再加入魷魚同燒，
   加鹽兩茶匙、醬油半大匙調味，燒開後加少許味精
   及四大匙太白粉水勾芡，撒下青蒜後盛出，食用時
   可加少許胡椒粉。

豆瓣魚飯盒

菜　單：

①豆瓣魚

②洋蔥肉絲

③雙冬豆腐

④豬尾骨花生湯

材　料：

(1)吳郭魚兩條、葱兩支、薑蒜末
　　一大匙。
(2)洋葱一個、瘦肉六兩、葱兩支。
(3)豆腐兩塊、冬菜四大匙、冬菇
　　四片、葱兩支。
(4)豬尾骨兩支、花生半斤。

1. 一早先將花生洗淨泡水，可節省火力而快爛。做飯時先燒兩鍋水，一鍋冷水時即放入豬尾骨川燙血水，另一鍋待豬尾骨燙好後已燒開，便直接與花生一同放入燉湯。

2. 泡香菇，切肉絲並醃好，然後切豆腐及所有配料。

3. 處理吳郭魚，醃鹽後準備配料，再回頭煎魚，接著燒好豆瓣魚這道菜。

4. 炒洋蔥肉絲，完成後做雙冬豆腐，接著將湯調味上桌。

①豆瓣魚

作　法：

1. 吳郭魚洗淨，並刮除腹內黑膜，在肉面上畫刀口，
   淋酒一大匙，鹽少許略醃。

2. 十分鐘後拭乾水分用三大匙油兩面煎黃盛出。

3. 用二大匙油炒薑蒜末及辣豆瓣三大匙、酒一大匙、
   醬油一大匙、糖半大匙、醋半大匙、清水一杯燒開。

4. 放入吳郭魚，改小火燒十分鐘，入味後淋太白粉水
   一大匙勾芡，撒下蔥花盛出即可。

②洋蔥肉絲

作　法：

1. 瘦肉（梅肉或里肌肉）切絲，拌入酒一大匙、醬油一大匙、太白粉水半大匙，醃十分鐘。

2. 洋蔥直切絲，蔥切丁。

3. 用三大匙油將肉絲炒散，變色時放下洋蔥絲同炒，並淋酒一大匙、醬油半大匙、鹽半茶匙、味精少許調味。

4. 撒下蔥粒炒勻盛出。

③雙冬豆腐

作　法：

1. 長形豆腐每塊切成八等份厚片，用半碗油將兩塊豆腐分別煎黃後盛出。

2. 用餘油炒泡軟切片之香菇，起香時放下豆腐，淋醬油二大匙、糖半大匙、胡椒粉少許及泡香菇水蓋過豆腐，放下洗淨之冬菜同燒。

3. 湯汁稍乾時用太白粉水勾芡，撒下葱花盛出。

④豬尾骨花生湯

作　法：

1. 洗淨花生並加水略為浸泡，豬尾骨先用開水川燙過撈出，沖淨泡沫後放入另鍋開水中，加薑二片、酒一大匙燒開。
2. 放入花生同煮四十分鐘至軟。
3. 加鹽二茶匙、味精少許調味後盛出。

魚排飯盒

菜 單：

1 酥炸魚排

2 金菇雞絲

3 沙茶空心菜

4 金針肉絲湯

材 料：

(1)無骨魚肉一斤（海石斑、鯢魚或桂魚均可）、麵包粉三杯、蛋二個。

(2)雞胸一個、金針菇六兩、蔥兩支。

(3)空心菜一斤、大蒜兩粒。

(4)瘦肉半斤、金針二兩、蔥二支。

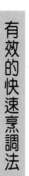
有效的快速烹調法

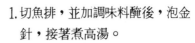

1. 切魚排，並加調味料醃後，泡金針，接著煮高湯。

2. 切雞絲，醃入調味料，然後切做湯用的肉絲，同樣醃好。

3. 洗空心菜，並切好。再將金針打結後備用。

4. 將魚排沾粉、拖蛋汁、裹麵包粉，然後炸酥，完成這道菜。

5. 炒金菇雞絲。

6. 完成金針肉絲湯。

7. 炒沙茶空心菜，因其易黑故最後做，完成即可上桌開飯。

①酥炸魚排

作　法：

1. 魚肉切片，拌入酒一大匙、鹽一茶匙、胡椒粉少許醃五分鐘。

2. 每片魚肉先沾一層乾太白粉，再沾一層蛋汁，然後裹上麵包粉，放入七分熱的熱油中炸酥撈出。

②金菇雞絲

作　法：

1. 雞胸肉順絲切細絲，拌入酒半大匙、太白粉水半大
   匙略醃。

2. 金針菇切除尾部相連部分少許，再放入鹽水中川燙
   過撈出備用，蔥切絲。

3. 用四大匙油炒散雞絲，倒下金針菇及以酒一大匙、
   醬油膏（或蠔油）三大匙、糖一大匙調味。

4. 炒勻後加太白粉水半大匙勾芡，撒下蔥絲再炒勻即
   盛出。

③沙茶空心菜

作　法：

1. 空心菜洗淨，切小段，大蒜拍碎。

2. 用三大匙油炒香蒜末，再倒下空心菜炒軟。

3. 加沙茶醬四大匙、鹽半茶匙、味精少許調味，炒勻
即盛出。

④金針肉絲湯

作　法：

1. 瘦肉（梅肉或里肌）切絲，拌少許酒及太白粉，金針泡軟，擠乾水分後打結（口感較脆）。
2. 高湯燒開，先放金針，待煮開後改小火，放入肉絲並以鹽半大匙、胡椒粉、味精各少許調味。
3. 撒下蔥花後滴麻油少許即可熄火盛出。

玉蘭牛肉飯盒

菜　單：

1. 玉蘭牛肉
2. 豆酥鱈魚
3. 味噌煎豆腐
4. 大黃瓜肉片湯

材　料：

(1)青菜花一個、嫩牛肉六兩、辣椒二支。

(2)鱈魚二片、黃豆酥一個、薑蒜末一大匙、葱二支。

(3)長形豆腐二塊、葱一支、味噌四大匙。

(4)瘦肉六兩、大黃瓜一條、香菜少許。

1. 切牛肉並醃好,再切青菜花、洗淨、泡水。
2. 煮高湯,處理鱈魚先醃再入鍋蒸(可放在飯面上同蒸)。
3. 切豆酥,接著切大黃瓜及肉片,肉片拌入太白粉醃。
4. 炒玉蘭牛肉,完成後炒豆酥,此時魚已好,即舖下魚面完成這道菜。
5. 煎味噌豆腐,完成後做湯。

①玉蘭牛肉

作　法：

1. 嫩牛肉切片，加酒一大匙、醬油一大匙、太白粉半大匙醃十分鐘。

2. 青菜花切小朵，洗淨再以鹽水泡十分鐘，辣椒斜切備用。

3. 用二大匙油先炒熟青菜花盛出，另用三大匙油炒牛肉，變色時倒下青菜花及辣椒，並以酒一大匙、醬油二大匙、糖一茶匙、鹽四分之一茶匙調味，炒勻後，用太白粉水勾芡盛出。

② 豆酥鱈魚

作 法：

1. 鱈魚洗淨，放入盤內，淋酒一大匙，加鹽一茶匙及二支蔥、二片薑一同蒸十分鐘。

2. 豆酥切碎，用五大匙油連同薑蒜末同炒，待豆酥微黃時，加鹽四分之一茶匙、糖一茶匙調味，撒下蔥花後熄火，盛出舖在蒸好的鱈魚上。

③味噌煎豆腐

作　法：

1. 長形豆腐洗淨，瀝乾水分。
2. 味噌攪勻，加糖二茶匙混合後，放入豆腐醃五分鐘。
3. 鍋燒熱，加少許油，放下豆腐兩面煎黃，倒下剩餘之味噌與豆腐同燒，湯汁收乾即盛出。

④大黃瓜肉片湯

作　法：

1. 瘦肉切薄片，拌入酒及太白粉各少許略醃。

2. 大黃瓜去皮，剖開刮淨瓜瓤切厚片。

3. 高湯燒開，先放入大黃瓜煮軟，再放入肉片同燒。

4. 加鹽二茶匙調味，再度煮開即熄火，撒下香菜及味精、麻油少許即盛出。

蘆筍牛肉飯盒

菜　單：

1 蘆筍牛肉

2 三色蒸蛋

3 絲瓜麵筋

4 海底雞湯

材　料：

(1)青蘆筍半斤、嫩牛肉六兩。

(2)蛋五個、皮蛋三個、熟鹹蛋三個。

(3)絲瓜一條、麵筋二兩、薑二片。

(4)海底雞兩罐、嫩豆腐一盒、青蒜一支。

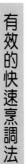

有效的快速烹調法

1. 同時燒兩鍋水，水開之前切牛肉並醃入調味料，再切蘆筍，水開後一鍋煮高湯，另一鍋燙蘆筍。
2. 蘆筍燒開後撈出沖涼，水倒開。另外做三色蛋，並放入電鍋中蒸。
3. 切絲瓜，並川鹽水。麵筋泡軟，海底雞打開，豆腐切好，青蒜切絲。
4. 完成蘆筍牛肉，接著做絲瓜麵筋，取出三色蛋放涼。
5. 做海底雞湯，完成後正好切三色蛋，即可開飯。

①蘆筍牛肉

作　法：

1. 嫩牛肉切片，拌入酒一大匙、醬油一大匙、太白粉水半大匙，醃二十分鐘。

2. 蘆筍削除老梗，切小段用鹽水川燙過撈出沖涼。

3. 用三大匙油炒散牛肉，變色時倒下蘆筍，並以酒一大匙、醬油二大匙、糖半大匙、鹽半茶匙、胡椒粉、味精少許調味，炒勻後加太白粉水半大匙勾芡即可盛出。

②三色蒸蛋

作　法：

1. 先將皮蛋蒸熟，再去殼切丁，熟鹹蛋亦去殼切丁。
2. 雞蛋打散，加入皮蛋丁與鹹蛋丁拌勻，加清水一杯、太白粉一大匙，全部調勻倒入墊有玻璃紙之模型內，以中火蒸十五分鐘（或放入電鍋蒸）。
3. 取出後放涼再切片即可。

③絲瓜麵筋

作　法：

1. 絲瓜去皮切滾刀塊（普通絲瓜一條即夠，菱角絲瓜
   需三條）。放入鹽水中過一下，以免變色。
2. 麵筋泡軟瀝乾備用。
3. 用三大匙油炒薑絲，再倒下絲瓜炒軟，加入麵筋並
   以鹽一茶匙、味精少許調味。
4. 待湯汁稍乾時即盛出，或以太白粉水半大匙勾芡後
   盛出即可。

④海底雞湯

作　法：

1. 高湯燒開，加入切成小條之豆腐及弄碎之海底雞燒開。

2. 青蒜切絲備用。

3. 湯開後加鹽半大匙調味，即可熄火，撒下青蒜絲及少許味精後盛出。

蔥油蝦飯盒

菜　單：

1️⃣ 蔥油燜蝦

2️⃣ 涼拌鮮魷

3️⃣ 乾煸鮮筍

4️⃣ 西洋菜魚片湯

材　料：

(1)鮮蝦（斑節蝦、劍蝦、蘆蝦均可）一斤、蔥三支。

(2)鮮魷魚(透抽)三條、蔥三支、薑二片、香菜二棵。

(3)新鮮綠竹筍一斤、蝦米二大匙、蔥二支。

(4)西洋菜一把、草魚中段一斤。

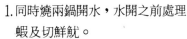

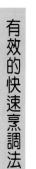

有效的快速烹調法

1. 同時燒兩鍋開水，水開之前處理蝦及切鮮魷。

2. 水開後其中一鍋用來熬高湯，另一鍋加入蔥、薑、酒先燙鮮魷，再燙蝦，撈出後水倒掉。

3. 切蔥、薑、蒜等配料，並將涼拌鮮魷調味料調好，鍋內燒三碗油，油熱之前切筍片、泡蝦米，油熱後炸筍。

4. 筍片入鍋炸時，完成涼拌鮮魷這道菜，接著撈出筍片並完成乾煸鮮筍，然後做蔥油燜蝦。

5. 完成西洋菜魚片湯。

①葱油燜蝦

作　法：

1. 蝦洗淨，剪掉鬚足並抽除泥腸，放入開水中，加一
   支葱、一片薑、一大匙酒川燙兩分鐘，見蝦變色並
   微曲時撈出。

2. 另用二大匙油炒香葱粒，並以酒一大匙、醬油二大
   匙、鹽半茶匙、糖一茶匙、醋一茶匙調味，炒勻後
   澆在蝦面上即可。

②涼拌鮮魷

作　法：

1. 鮮魷（即透抽）洗淨，在內側切花，放入加有葱、薑、酒之開水中川燙至捲曲時撈出。

2. 將醬油三大匙、糖三大匙、醋二大匙、鹽半茶匙、麻油一茶匙、番茄醬一大匙混合均勻做成綜合調味料，淋在燙好的魷魚上。

3. 香菜切碎，撒在面上即可。

③乾煸鮮筍

作　法：

1. 綠竹筍去殼切片，放入熱油中炸至水分消失，外皮微皺時撈出。

2. 蝦米洗淨泡軟切碎，用二大匙油炒香，淋酒一大匙，再倒下筍片並以醬油三大匙、醋半大匙、糖一大匙調味，淋水二大匙炒至收乾時，撒下蔥花，炒勻即盛出。

④西洋菜魚片湯

作　法：

1. 草魚中段去皮骨、切片，拌入太白粉半大匙、蛋白半個及鹽半茶匙略醃。

2. 西洋菜摘取嫩葉後洗淨備用。

3. 高湯燒開，先改小火再放入魚片，待所有魚片入鍋後，開中火煮，並加入西洋菜及以酒半大匙、鹽半大匙調味，煮開即熄火，撒少許胡椒粉及麻油後盛出。

紅糟肉飯盒

菜　單：

1 紅糟肉

2 蝦仁豆腐

3 客家茄子

4 福州燕丸湯

材　料：

(1) 夾心肉一斤、筍二支、青蒜（或蔥）一支。

(2) 蝦仁六兩、豆腐二塊、蔥二支。

(3) 茄子四條、九層塔三棵、大蒜四粒。

(4) 燕餃半斤、小白菜兩棵、芹菜一棵。

1. 先切肉，並先做紅糟肉這道菜，待入鍋燒時，熬高湯。

2. 切豆腐並處理蝦仁，蝦仁醃時，準備客家茄子，煮筍。

3. 洗好小白菜並切芹菜末。

4. 完成蝦仁豆腐。記得翻動一下紅糟肉。

5. 做客家茄子，完成後，紅糟肉亦已燒好，同時盛出。

6. 做湯，五分鐘即可完成上桌。

①紅糟肉

作　法：

1. 夾心肉切薄片，用三大匙油煸炒過，再放入蒜末一
   茶匙、紅糟三大匙、酒一大匙、糖一大匙、清水兩
   杯燒開。

2. 改小火燒十分鐘，筍先單獨煮熟再切小塊放入與肉
   同燒。

3. 湯汁收乾時撒下青蒜絲或蔥絲盛出即可。

②蝦仁豆腐

作 法：

1. 蝦仁洗淨，拌入蛋白半個、鹽少許、胡椒粉及太白粉各少許，調勻後略醃。

2. 豆腐切四方粒，用加有鹽的開水川燙過撈出。

3. 用三大匙油炒蔥粒，再放入蝦仁炒散，接著加清水（或高湯二杯），並以鹽一茶匙、胡椒粉、味精少許調味後，放下豆腐同燒。

4. 湯汁稍乾時加太白粉水一大匙勾芡，並撒下蔥花後滴麻油少許即可盛出。

③客家茄子

作　法：

1. 茄子切滾刀塊，用鹽水浸過（防止變色），九層塔洗淨摘下嫩葉，大蒜切碎。

2. 用五大匙油炒香蒜末後放下茄子炒軟，並以醬油二大匙、鹽四分之一茶匙、糖半大匙調味。

3. 放入九層塔，炒勻即盛出。

④福州燕丸湯

作　法：

1. 高湯燒開，放入燕餃小火煮五分鐘。
2. 小白菜洗淨切小段、芹菜切丁，湯開時放下小白菜，
   並用鹽二茶匙調味，加味精、麻油各少許。
3. 撒下芹菜末盛出。

虱目魚飯盒

菜 單：

1. 鹽煎虱目魚
2. 青椒肉絲
3. 麵筋燒白菜
4. 酸辣湯

材 料：

(1) 虱目魚一條、酒一大匙、鹽半大匙、胡椒粉少許。

(2) 瘦肉半斤、青椒二個、葱一支、酒一大匙、醬油一大匙、鹽半茶匙、太白粉水半大匙。

(3) 油麵筋三兩、大白菜一個（約一斤重）、鹽半茶匙、醬油一大匙、糖少許、太白粉水一大匙。

(4) 肉絲二兩、鴨血一個、豆腐一盒、蛋一個、筍一支、木耳二片、葱二支、太白粉水四大匙、高湯六碗、醬油一大匙、鹽二茶匙、醋四大匙、胡椒粉一大匙。

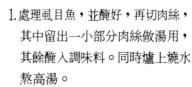

有效的快速烹調法

1. 處理虱目魚，並醃好，再切肉絲，其中留出一小部分肉絲做湯用，其餘醃入調味料。同時爐上燒水熬高湯。

2. 將雞骨放入開水中煮高湯，接著泡麵筋，切白菜。

3. 切好酸辣湯材料中的木耳、筍、豆腐和鴨血，蛋打好。

4. 煎虱目魚，盛出後燒麵筋白菜。此時高湯已好，揀出雞骨，先移開鍋子，另外燒水燙鴨血。

5. 盛出白菜，炒青椒肉絲，然後燙鴨血，接著完成酸辣湯。

①鹽煎虱目魚

作　法：

1. 虱目魚洗淨、剖開兩半（可請魚販代勞），將魚腹內有黑膜部分刮淨，淋入酒一大匙、鹽半大匙醃十分鐘。

2. 鍋內放油，燒熱後放入虱目魚兩面煎黃即可。

3. 為了防止易爆的虱目魚濺油，可在虱目魚下鍋前，兩面拍少許乾太白粉，並以鍋蓋遮擋一下即可避免。

②青椒肉絲

作 法：

1. 瘦肉（里肌肉或梅肉）切絲，拌入酒一大匙、醬油一大匙及太白粉一茶匙略醃。

2. 青椒及葱切絲。

3. 用三大匙油炒葱絲及肉絲，變色時加入青椒同炒，再加鹽半茶匙調味，炒勻後淋一大匙太白粉水勾芡盛出即可。

③麵筋燒白菜

作 法：

1. 油麵筋用冷水泡軟，大白菜撕大片，梗部略拍使其易熟。

2. 用三大匙油將白菜炒軟，再放入油麵筋同燒。

3. 加入鹽、醬油、糖調味，待五分鐘已入味後勾芡盛出。

④酸辣湯

作　法：

1. 木耳、筍切絲，鴨血、豆腐切粗絲，其中鴨血用開水川燙過備用。

2. 用二大匙油炒散肉絲，再放入木耳及筍絲，然後倒入高湯燒開。

3. 加入所有調味料，待湯汁濃稠時，淋入蛋汁，撒下蔥花即可盛出。

蝴蝶魚飯盒

菜　單：

①蒜燒蝴蝶魚

②箭筍肉絲

③魚香萵筍

④冬瓜蛤蜊湯

材　料：

(1)蝴蝶魚（又名魟仔魚）兩片（約一斤）、青蒜兩支、蔥一支、薑兩片、大蒜兩粒。

(2)瘦肉（里肌肉或梅肉）半斤、箭竹筍三條、辣椒三支。

(3)萵苣筍兩支（即椰仔菜心）。

(4)冬瓜一斤、蛤蜊半斤、薑兩片、高湯六碗。

1. 先削萵苣筍，切條後醃鹽，然後切肉絲並調味醃好。

2. 燒開水煮高湯，水開之前切蝴蝶魚及其他配料。

3. 水開後一半放入雞骨煮高湯，一半用來燙箭竹筍。

4. 將萵苣筍的鹽分沖淨，加入調味料醃一下。

5. 完成箭筍肉絲這道菜，再煎蝴蝶魚，待蝴蝶魚開始燒時，切冬瓜，將雞骨撈出，冬瓜入湯，回頭完成蝴蝶魚。

6. 完成冬瓜蛤蜊湯，盛出後，將魚香萵苣筍一併盛出。

①蒜燒蝴蝶魚

作　法：

1. 將蝴蝶魚洗淨、切大塊，用三大匙油爆香蔥、薑、蒜後撈除，倒入魚塊兩面略煎，即淋酒一大匙、醬油三大匙、糖半大匙、醋半大匙、胡椒粉少許、清水一杯同燒。

2. 青蒜斜切，待魚燒過五分鐘後先加蒜白，燜兩分鐘再放蒜葉，湯汁收乾時，淋半大匙太白粉水勾芡盛出。

②箭筍肉絲

作　法

1. 瘦肉切絲、拌入酒一大匙、醬油一大匙、太白粉水半大匙拌勻略醃。

2. 箭竹筍先撕長條，切除少許老梗再改刀切小段，辣椒切絲，大蒜兩粒切碎。

3. 燒半鍋水將箭竹筍川燙過撈出，另用五大匙油炒散肉絲後先盛出，以餘油炒蒜末及箭竹筍，加水少許略燜。

4. 加入肉絲及辣椒絲，淋醬油三大匙、糖半大匙、鹽半茶匙調味，炒勻後，淋太白粉水一大匙勾芡盛出即可。

③魚香萵筍

作　法：

1. 萵苣筍去硬皮，先切小段再改切成粗條，拌入一大匙鹽醃十分鐘，再洗去鹽水，瀝乾。

2. 用一大匙油炒香花椒粒半大匙後撈除，加入辣豆瓣兩大匙、糖兩大匙、醋一大匙、鹽半茶匙、味精少許，炒勻後熄火，拌入萵苣筍中醃浸，二十分鐘後即可盛出食用。

④冬瓜蛤蜊湯

作　法：

1.高湯燒開，冬瓜去皮切小塊放入湯內，煮五分鐘。

2.加入薑絲兩大匙，再倒下蛤蜊同煮，待蛤蜊張口時，
　加鹽一茶匙調味，撒胡椒粉及麻油少許即可盛出。

醬爆肉飯盒

菜 單：

1 醬爆肉

2 紅燒蛋餃

3 炒素腸

4 味噌魚湯

材 料：

(1)夾心肉十兩、五香豆干六片、青蒜兩支、酒一大匙、甜麵醬兩大匙、醬油一大匙、糖半茶匙。

(2)蛋餃兩盒、紅蘿蔔一小條、菇（或木耳）五片、青蒜一支、酒一大匙、醬油兩大匙、糖半茶匙、胡椒粉少許、鹽半茶匙、太白粉水一大匙。

(3)麵腸（即素腸）半斤、青椒一個、豆芽四兩、香菇三片、醬油三大匙、糖一茶匙、鹽四分之一茶匙。

(4)鮑魚（或桂魚）一片、長形豆腐一塊、味噌三大匙、蔥兩支、鹽半茶匙、酒一大匙。

有效的快速烹調法

1. 同時燒兩鍋水，其中一鍋放入夾心肉川燙，水開時肉撈出，放入另一鍋中煮熟（肉湯可留做味噌湯時用）。

2. 撕素腸並切好所有配料，接著煎魚。煎好魚正好將肉撈出。

3. 做紅燒蛋餃，完成後煮味噌湯，接著切肉片及豆干。

4. 做醬爆肉，完成後炒素腸，接著盛出味噌魚湯。

① 醬爆肉

作　法：

1. 夾心肉洗淨，先川燙過血水，再放入開水中加蔥、薑各兩支及酒一大匙，煮十分鐘撈出切片。

2. 五香豆干切片、青蒜斜切小段，用三大匙油將豆干爆香，再放入夾心肉及青蒜同炒後，先盛出。

3. 將甜麵醬與糖、醬油、酒等調味料調勻，用兩大匙油爆炒香，再將盛出的所有材料倒入拌炒，炒勻即可盛出。

②紅燒蛋餃

作　法：

1. 紅蘿蔔去皮切片，香菇泡軟去蒂對切兩半，青蒜斜切小段。
2. 先用兩大匙油炒紅蘿蔔及香菇，然後淋酒、醬油、鹽調味，並加泡香菇的水倒入燒開。
3. 放入蛋餃同燒，待湯汁稍乾時加入青蒜，再以太白粉水勾芡盛出。

③炒素腸

作　法：

1. 將麵腸撕開成一大片，再改刀切絲，青椒切絲，香菇泡軟切絲，豆芽洗淨備用。

2. 用三大匙油炒香菇絲，再放入麵腸與青椒絲同炒。

3. 加入醬油、糖、鹽調味，並淋少許香菇水略燜。

4. 加入豆芽同炒，湯汁收乾時即盛出。

④味噌魚湯

作　法：

1. 鮸魚洗淨，用兩大匙油兩面略煎，微黃時淋酒一大匙，並加入煮開之肉湯燒開，改小火煮五分鐘。

2. 豆腐切小長條放入魚湯中同煮，再將味噌用水調開加入湯中。

3. 五分鐘後熄火，撒下蔥花即可盛出。

美味系列⑦
快手飯盒輕鬆做

·42014·
81.07.1302

中華民國八十一年七月初版
中華民國八十四年三月初版第七刷
有著作權・翻印必究
Printed in R.O.C.

定價：新臺幣280元

編著者　梁　　瓊　　白
發行人　劉　　國　　瑞

本書如有缺頁，破損，倒裝請寄回更換。

出版者　聯經出版事業公司
臺北市忠孝東路四段555號
電　　話：3620308・7627429
郵政劃撥帳戶第0100559-3號
印刷者　協大分色製版　三源印製

新聞局出版事業登記證局版臺業字第0130號

ISBN 957-08-0824-1（精裝）

國立中央圖書館出版品預行編目資料

快手飯盒輕鬆做／梁瓊白編著．--初版．--臺
北市：聯經，民81
　　面；　　公分．--（美味系列；7）
ISBN 957-08-0824-1（精裝）
〔民84年3月初版第七刷〕

Ⅰ. 食譜

427.1　　　　　　　　　　　　　　　81003669

美味系列

香煎肉排 4

玉米蝦仁 5

素炒四季豆 6

鮮筍排骨湯 7

燻魚 10

佛手茄子 11

鮮菇焖筍 12

番茄玉米湯 13

東安雞 16

豆干肉絲 17

辣炒小魚干 18

莧菜豆腐湯 19

無錫排骨 22

薑絲小卷 23

炒青菜花 24

酸菜肚片湯 25

豉汁排骨 28

香芹魷魚 29

火焖南瓜 30

海帶雞湯 31

燒黃魚 34

芥蘭牛肉 35

豆腐煲 36

連鍋湯 37

豉油雞腿 40

油爆蝦 41

酸菜肉絲 42

蓮藕排骨湯 43

梅干菜燒肉 46

乾煎帶魚 47

干貝芥菜 48

時蔬貢丸湯 49